W0005567

FELIX TIMMERMANS

DAS TRIPTYCHON
VON DEN HEILIGEN DREI KÖNIGEN

INSEL VERLAG

Insel-Bücherei Nr. 362
Sonderausgabe 2016

Erste Auflage dieser Ausgabe Insel Verlag Berlin 2016.

Aus dem Flämischen von Anton Kippenberg.
Titel der Originalausgabe: *Driekoningentryptiek*.
Die Initialen und Bilder zeichnete Felix Timmermans.

Bezugspapier: Jacob van Ruisdael, *Winterlandschaft mit Windmühle*,
um 1670. © Fondation Custodia, Collection Frits Lugt, Paris
Gedruckt auf holzfreies, alterungsbeständiges Papier
der Firma Cordier vom Druckhaus Nomos, Sinzheim.
Gebunden in Fadenheftung von der
Conzella Verlagsbuchbinderei GmbH & Co KG,
Aschheim-Dornach.
Erste Auflage 1924.
Printed in Germany.
ISBN 978-3-458-17695-4

MITTELSTÜCK

Den Tag vorher, als es Abend wurde, war in dem fallenden Schnee ein knarrendes Kirmeswägelchen, das ein alter Mann und ein Hund zogen, die Straße entlanggefahren, und hinter der Fensterscheibe hatte man das bleiche Gesicht einer schmalen, jungen Frau gewahrt, die schwanger war und große, betrübte Augen hatte.

Sie waren vorbeigezogen, und wer sie gesehen hatte, dachte nicht mehr darüber nach.

Am Tage darauf war Weihnachten, und die Luft stand glasklar gefroren, zartblau über der weiten, in weißen Pelz vermummten Welt.

Und der lahme Hirte Suskewiet, der Aalfischer Pitjevogel mit seinem Kahlkopf und der triefäugige Bettler Schrobberbeeck gingen zu dritt die Höfe ab, als die heiligen drei Könige verkleidet.

Sie hatten mit sich einen Pappstern, der sich auf einer hölzernen Stange drehte, einen Strumpf, das gesammelte Geld darein zu bergen, und einen Doppelsack, um die Eßsachen hineinzustecken. Ihre armseligen Röcke hatten sie umgekehrt; der Hirt hatte einen hohen Hut auf, Schrobberbeeck trug eine Blumenkrone von der Prozession her auf dem Kopfe, und Pitjevogel, der den Stern drehte, hatte sein Gesicht mit Schuhwichse eingeschmiert.

Es war ein gutes Jahr gewesen mit einem fetten Herbst; die Bauern hatten alle ein Schwein ins Pökelfaß gelegt und saßen, ihre Pfeife schmauchend, mit Speckbäuchen vor dem heißen Herd und warteten sorglos auf den Frühling.

Der Hirte Suskewiet kannte so schöne, fromme Lieder aus alten Zeiten, Pitjevogel verstand den Stern so gleichmäßig zu drehen, und der Bettler wußte so echte, traurige Bettleraugen zu ziehen, daß, als der Mond rot heraufkam, der Fuß des Strumpfes voller Geld saß und der Sack sich blähte wie ein Blasebalg. Es steckte Brot darin, Schinkenknochen, Äpfel, Birnen und Wurst.

Sie waren in fröhlichster Laune, stießen sich wechselseitig mit den Ellbogen und genossen bereits das Vergnügen, am Abend einmal ein ordentliches Glas »Vitriol« in der »Wassernixe« zu trinken und sich mit dem guten und leckeren Essen den leeren Bauch so zu runden und zu prallen, daß man einen Floh darauf würde zerquetschen können.

Erst als die Bauern die Lampe ausdrehten und gähnend schlafen gingen, hörten sie mit ihrem Singen auf und begannen ihr Geld in dem hellen Mondenschein zu zählen.

Jungens, Jungens! Genever für eine volle Woche! Und dann konnten sie sich noch frisches Fleisch dazukaufen und Tabak!

Den Stern auf der Schulter, stapfte der schwarze Pitjevogel flink vorauf; die beiden anderen folgten, und das Wasser lief ihnen im Munde zusammen.

Aber ihre rauhen Seelen überfiel nach und nach eine seltsame Bedrücktheit. Sie schwiegen. Kam das von all dem weißen Schnee, auf den der hohe Mond so starr und bleich guckte? Oder von den mächtigen, gespenstigen Schatten der Bäume? Oder von ihren eigenen Schatten? Oder von der Stille, dieser Stille von mondbeschienenem Schnee, in der nicht einmal eine Eule sich hören ließ und kein Hund nah oder fern bellte?

Dennoch waren sie, Schwärmer und Schweifer der abgelegenen Straßen, der einsamen Ufer und Felder, so leicht nicht einzuschüchtern. Sie hatten viel Wunderbares in ihrem Leben gesehn: Irrlichter, Spuk und sogar leibhaftige Gespenster. Aber nun war es etwas anderes, etwas wie die würgende Angst vor dem Nahen eines großen Glückes.

Es drückte ihnen das Herz zusammen.

Der Bettler sagte mutig: »Ich bin nicht bange!«

»Ich auch nicht«, sagten die beiden anderen zu gleicher Zeit mit zitternden Kehlen.

»Es ist Weihnachten heute«, tröstete Pitjevogel.

»Und dann wird Gott von neuem geboren«, fügte der Hirte kindlichfromm hinzu.

»Ist es wahr, daß die Schafe dann mit dem Kopfe nach Osten stehn?« fragte Schrobberbeeck.

»Ja, und dann singen und fliegen die Bienen.«

»Und dann könnt ihr mitten durchs Wasser sehen,« bestätigte Pitjevogel, »aber ich hab es niemals getan.«

Es war wieder diese Stille, die etwas anderes war als Stille, wie wenn eine fühlbare Seele im Mondenschein zitterte.

»Glaubt ihr, daß Gott nun wieder auf die Welt kommt?« fragte ängstlich der Bettler und dachte dabei an seine Sünden.

»Ja,« sagte der Hirt, »aber wo, das weiß niemand ... er kommt nur für e i n e Nacht.«

Ihre harten Schatten liefen nun vor ihnen her, und das vermehrte noch ihre Furcht.

Auf einmal merkten sie, daß sie sich verlaufen hatten. Schuld daran war der unendliche Schnee, der die gefrorenen Bäche, die Wege und das ganze Land überdeckt hatte.

Sie blieben stehn und sahen sich um; überall Schnee und Mondenschein und hier und da Bäume, aber kein

Hof, so weit man blickte, und auch die wohlbekannte Mühle war nirgends sichtbar.

Sie hatten sich verirrt, und bei dem Mondenlicht sahen sie einer in des anderen Auge die Angst.

»Laßt uns beten,« flehte Suskewiet, der Hirt, »dann kann uns nichts Böses begegnen.« Der Hirt und der Bettler murmelten ein Ave Maria; Pitjevogel brummte nur so etwas vor sich hin, denn seit der ersten Kommunion hatte er das Beten verlernt.

Sie gingen um ein Gebüsch herum, und da war es, daß Pitjevogel in der Ferne friedliches Abendlicht aus einem Fensterlein strahlen sah. Ohne ein Wort zu sagen, nur froh aufatmend, gingen sie darauf zu.

Und da geschah etwas Wunderbares. Sie sahen und hörten es alle drei, aber keiner wagte davon zu sprechen.

Sie hörten Bienen summen, und unter dem Schnee, da, wo die Gräben waren, schimmerte es so hell, als brennten Lampen darunter.

Und an einer Reihe träumender Weiden stand ein lahmer Kirmeswagen, aus dessen Fenster Kerzenlicht kam.

Pitjevogel ging das Trepplein hinauf und klopfte an die Tür. Ein alter Mann mit einem harten Stoppelbart kam vertrauensvoll herbei und öffnete. Er wunderte sich gar nicht über die tollen Gewänder, den Stern und das schwarze Gesicht.

»Wir kommen, um Euch nach dem Weg zu fragen«, stotterte Pitjevogel.

»Der Weg ist hier,« sagte der Mann, »kommt nur herein!«

Verwundert über diese Antwort, folgten sie gehorsam, und da sahen sie in der Ecke des kalten, leeren Wagens eine sehr junge Frau sitzen, in blauem Kapuzenmantel, die einem ganz kleinen, eben geborenen Kinde ihre fast leere Brust gab. Ein großer, gelber Hund lag daneben und hatte seinen treuen Kopf auf ihre mageren Kniee gelegt.

Ihre Augen träumten voller Trübsal; aber als sie die Männer sah, kam Freundschaft hinein und Zuneigung. Und siehe, auch das Kindlein, noch mit Flaum auf dem Kopfe und mit Augen wie kleine Spalte, lachte ihnen zu, und besonders hatte das schwarze Gesicht des Pitjevogel es ihm angetan.

Schrobberbeeck sah den Hirten knieen und seinen hohen Hut abnehmen; er kniete auch nieder, nahm seine Prozessionskrone vom Kopf und bereute plötzlich tief seine Sünden, deren er viele auf dem Gewissen hatte, und Tränen kamen in seine entzündeten Augen. Dann bog auch Pitjevogel das Knie.

So saßen sie da, und süße Stimmen umklangen ihre Köpfe, und eine wundersame Seligkeit, größer als alle Lust, erfüllte sie. Und keiner wußte, warum.

Unterdessen versuchte der alte Mann in dem eisernen Herdlein ein Feuer anzumachen. Pitjevogel, der sah, daß es nicht ging, fragte dienstfertig:

»Darf ich Euch helfen?«

»Es nützt doch nichts, es ist nasses Holz«, antwortete der Mann.

»Aber habt ihr denn keine Kohlen?«

»Wir haben kein Geld«, sagte der Alte betrübt.

»Aber was eßt ihr denn?« fragte der Hirte.

»Wir haben nichts zu essen.«

Die Könige schauten verwirrt und voller Mitleid auf den alten Mann und die junge Frau, das Kind und den spindeldürren Hund.

Dann sahen sie sich alle drei untereinander an. Ihre Gedanken waren eins, und siehe, der Strumpf mit dem Geld wurde ausgekehrt in den Schoß der Frau, der Sack mit den Eßsachen wurde geleert und alles, was darin war, auf ein wackliges Tischlein gelegt.

Der Alte griff gierig nach dem Brot und gab der jungen Frau einen rosigen Apfel, den sie, bevor sie hineinbiß, vor den lachenden Augen ihres Kindes drehte.

»Wir danken euch,« sagte der alte Mann, »Gott wird es euch lohnen!«

— — — — — — — — — — — — — — — — — — —

Und sie machten sich wieder auf den Weg, den Weg, den sie kannten, wie von selbst in der Richtung auf die »Wassernixe«, doch der Strumpf steckte zusammengerollt in Suskewiets Tasche, und der Sack war leer. Sie hatten keinen Pfennig, kein Krümelchen mehr.

»Wißt ihr eigentlich, warum wir alles diesen armen Menschen gegeben haben?« fragte Pitjevogel.

»Nein«, sagten die anderen.

»Ich auch nicht«, schloß Pitjevogel.

Bald darauf sagte der Hirt: »Ich glaube, daß ich es weiß! Sollte dieses Kind nicht vielleicht Gott gewesen sein?«

»Was du nicht denkst!« lachte der Aalfischer; »Gott hat einen weißen Mantel an, mit goldenen Rändern besetzt, und hat einen Bart und hat eine Krone auf, wie in der Kirche.«

»Er ist früher zur Weihnacht doch in einem Stall geboren«, behauptete der Hirt.

»Ja damals!« sagte Pitjevogel, »doch das ist schon hundert Jahre her und noch viel länger.«

»Aber warum haben wir denn alles weggegeben?«

»Ich zerbreche mir auch den Kopf darüber«, sagte der Bettler, dem der Magen knurrte.

Und schweigend, mit Gaumen, die nach einem tüchtigen Schluck Genever und dick mit Senf bestrichenem Fleisch lechzten, kamen sie an der »Wassernixe« vorbei, wo Licht brannte und gesungen und Harmonika gespielt wurde.

Pitjevogel gab den Stern dem Hirten wieder, der ihn aufzubewahren pflegte, und ohne noch ein Wort zu sprechen, aber zufrieden in ihrem Herzen, gingen sie am Kreuzweg auseinander, jeder zu seiner Lagerstätte. Der Hirt zu seinen Schafen, der Bettler unter eine Strohmiete, und Pitjevogel in seine Dachkammer, in die der Schnee hineinwehte.

LINKER FLÜGEL

Heute war wieder Weihnachten, und der Hirte Suskewiet, der jedes Jahr mit Pitjevogel und Schrobberbeeck die heiligen drei Könige gespielt hatte, da sie denn zu dritt mit einem Pappstern und schönen alten Liedern auf den Höfen die Runde gemacht hatten, lag nun, lang ausgestreckt, krank zu Bette, und über ihm war der Schatten des Todes. In der Ecke stand, an die Mauer gelehnt, die Stange mit dem bunten Stern, und da hing auch eine Krone aus Blech.

Er lag, wo er immer lag, im Schafstall.

Durch ein kleines Fensterchen neben seinem Bett konnte er weit hinaus ins beschneite Land sehen, über dem der halbe Mond wie eine silberne Spule das schöne Sternenkleid webte.

Es war das erste Mal, daß er zu Weihnachten seine Kameraden nicht begleiten konnte. Die waren nun zu zweit unterwegs und sangen doch immer noch: »Wir sind die drei König' mit ihrem Stern.«

Seit dem Wunder vom letzten Jahr, da sie auf ihrem Zug in ein Kirmeswägelchen geraten waren, dort einen armen Mann und eine junge Frau mit einem neugeborenen Kind gefunden hatten und aus einem unerklärlichen Drange, in nie gekannter Ehrfurcht hingekniet waren und alles, was sie gesammelt, Geld und Eßsachen, dargeboten hatten, seitdem war Suskewiet ein anderer Mensch geworden. Denn deutlich hatte er gefühlt, daß dieses Kindlein Gott gewesen war, der alle Jahre zu Weihnachten für einen Tag neu zur Welt kommt. Ach, er erinnerte sich noch so wohl, wie sie sich verirrt hatten in der heiligen Stunde, wie sie unter dem Eis Licht, wie Lampen, schimmern sahen und in der Luft Bienen singen hörten; wie sie sich fürchteten, und welch eine himmlische Süße ihn und auch die anderen überkam, als sie dies Kindlein sahen, und wie sie in einer plötzlichen Aufwallung, ohne Verabredung, ihre sauer verdienten Groschen, und was sie zum Essen gesammelt, hingegeben hatten.

Und hatten sie nicht auch den armen Mann sagen hören, als Pitjevogel nach dem Weg fragte: »Der Weg ist hier?« Gewiß war das die heilige Familie gewesen. Er hatte es dem Pfarrer erzählt, doch der schwatzte ihn zur Tür hinaus, und der Küster sagte wegwerfend, daß der Hirt ja nur ein Findling und das Gehirn ihm eingefroren wäre.

Wo er es auch erzählen mochte, daß er die heilige Familie gesehn, da lachte man ihn aus, und seine beiden Kameraden hatten den schönen Eindruck jener Stunde schon bald vergessen. Wenn sie mal daran dachten, so sagten sie wohl: »'s war sonderbar, 's war sonderbar«, aber im übrigen kümmerten sie sich nicht mehr darum und sündigten alle Tage mehr, um zu Geld und Genever zu kommen.

Doch Suskewiet hatte sein Leben von Grund aus geändert. Es war wohl immer schon ein glimmendes Scheitchen Frömmigkeit in seinem Herzen gewesen, nun aber war es zu einem weißen Feuer aufgeflammt, das ihn in himmlisches Entzücken versetzte und mit schönen, süßen Gefühlen erfüllte, so daß er kaum noch mit seinem Leibe auf Erden war.

Er vernachlässigte seinen Körper und vergaß, seine Schafe zu versorgen.

Vor den Feldkapellen lag er oft stundenlang auf den Knieen, sang fromme Lieder und betete Kindergebete.

Auch tat er Buße, um seine früheren Sünden abzuscheuern, und ließ sich nicht abhalten, wenn es fror, das Eis aufzuhacken und sich mit bloßen Füßen ins grimmig kalte Wasser zu stellen.

Und wenn er nun sein lahmes Bein hinter seiner Herde nachschleppte, dann betete er immer an seinem Rosenkranz, und sprach er mit den Bauern, dann war nicht mehr vom Wetter und von den Kartoffeln die Rede, sondern von der Mutter Gottes und dem Jesuskindlein und der Finsternis der Sünde.

Die Menschen nannten ihn früher beschränkt, nun aber hielten sie ihn für gänzlich verdreht und gingen ihm aus dem Weg. Was er erzählte, schien ihnen gut für einen Pfarrer, aber nicht für jemand, der in gewöhnlichen Kleidern herumlief wie er.

Mit großer Sehnsucht erwartete der alte Suskewiet das neue Christfest. Er pflegte den Stern zu verwahren und frischte ihn alle Jahre wieder auf. Auch diesmal beklebte er ihn mit buntem Papier und Schokoladesilber und schmückte ihn mit goldenen Röslein, die noch von einer goldenen Hochzeit stammten. Den hohen Hut wollte er nicht mehr aufsetzen, denn er hatte beim Klempner aus einem Stück Blech, das er gefunden, eine Zackenkrone machen lassen. Die würde ihm noch einmal so schön stehen. Er war eben mit diesen Dingen beschäftigt, als die beiden Freunde kamen, um darnach zu sehn, denn sie hatten gehört, daß noch andre drei Könige herumziehen würden, und die hatten einen Stern mit Glöcklein und würden also mehr Groschen verdienen.

Doch Suskewiet betrachtete sie argwöhnisch und sagte: »Ich geh mit dem Stern nur mit, wenn wir alles Geld und Essen, das wir einsammeln, den Armen geben.«

»Bist du verrückt?« rief Pitjevogel, der Aalfischer.

»Sind wir denn nicht arm genug?« fragte Schrobberbeeck, der Bettler mit den Triefaugen.

»Nein,« sagte Suskewiet, »alles, was ihr habt, müßt ihr Gott geben. Und ob ihr es den Armen gebt oder Gott, das ist einerlei.«

»Dann bleiben wir zu Haus«, sagte Schrobberbeeck; »oder denkst du, daß ich mir für andere Leute die Seele aus dem Halse singen will? Das macht man einmal und nicht wieder!«

»Ich weiß was Besseres,« sagte der schlaue Pitjevogel, »wir machen uns selbst einen Stern; oder glaubst du, daß wir das nicht können? Tag, verrückter Sus!«

»Macht, was ihr wollt,« rief der Hirt ihnen nach, »aber mit diesem Stern, mit dem wir Gott gefunden haben, sollt ihr kein Geld zusammenbetteln, um zu sündigen!«

Der Himmel mahlte den ersten Schnee über die Erde, und Suskewiet fühlte sich durchströmt von himmlischer Seligkeit. Er allein wollte nun von Hof zu Hof ziehen, um Geld für die Armen zusammenzubringen.

Aber Suskewiet wurde krank und konnte von seinem Bettsacke nicht mehr aufstehn.

Weihnachten kam heran. Der Hirt empfing die Sterbesakramente. Er hatte den Pfarrer mit seinem goldenen Chorhemd kommen und gehen sehn. Es wurde Abend, und der Mond erschien, um die weiße Welt zu beschauen.

Suskewiet liefen die Tränen über die stoppelhaarigen Backen, weil er nicht zum Besten der Armen Weihnachten feiern konnte.

Vierunddreißig Jahre hatte der Stern ihn seine Lieder singen hören. Nun kam der Tod zu ihm. Sein Herz lebte schon fast nicht mehr, aber sein bißchen Verstand flackerte dann und wann noch hell auf.

Die Menschen vom Hof hatten eine Weile bei ihm gesessen, waren aber, da er ein wenig schlummerte, wieder ins Haus hineingegangen, wo der Weihnachtsklotz brannte und Waffeln gebacken wurden. Er hörte wehmütig ihren fröhlichen Lärm; eine Klarinette wurde gespielt, und Lieder erklangen.

Er hatte keine zwei Stunden mehr zu leben und flehte zum Himmel, doch erst noch die heilige Stunde vorübergehn zu lassen.

Sein mageres, eingefallenes Gesicht lag schräg, und so konnte er bald den Mond am Himmel sehen und bald den Stern, der in der Ecke glänzte. Seine Hände lagen bloß, groß und abgemagert da; die Finger hatten kein Leben mehr.

Wie er verloren auf die Welt gekommen war, ein Findling, so sollte er nun einsam und verlassen sterben. Nur die guten Schafe blieben bei ihm und hoben von Zeit zu Zeit den Kopf über die Planke.

Der Mond stieg höher und höher, wurde kleiner beim Steigen und immer silberklarer.

Suskewiet bat nur um das eine, um die Gnade, die Weihnachtsstunde noch einmal erleben zu dürfen.

So lag er lange. Endlich sah er hier und dort bei der Mühle Frauen in schweren Kapuzenmänteln mit Laternen in der Hand nach dem Dorfe zu vorbeiziehen. Der Lärm auf dem Hofe verstummte.

Etwas später hörte er Glockengeläut und Orgelklang.

Zuerst konnte er es nicht glauben, denn die Kirche war ja dreiviertel Stunden weit entfernt! Aber es war keine Täuschung: da spielte eine Orgel. Sanfte, getragene, singende Klänge, die langsam und feierlich aufquollen, von Rührung und tiefer Inbrunst immer mehr schwellend. So etwas Schönes hatte er nie im Leben gehört. Ehe er sich noch von seinem Staunen erholt hatte, hörte er plötzlich, wie all die Schafe zu blöken anfingen, und in dem Mondschein sah er, daß sie ihre Köpfe nach Osten kehrten.

»Das ist die heilige Stunde!« murmelte Suskewiet, schaudernd vor Erregung.

»Gott! Gott! Mein Stern!« Er wollte sich aufrichten, um aufzustehn und den Stern zu holen, aber es ging nicht.

»Mein Stern!« Er strengte verzweifelt all seine Kräfte an, drückte die Decke mit seinen Füßen gegen die Bettwand, und zog sich dann an dem straffgespannten Laken hoch. Er brach in einen rasselnden Husten aus, und als der vorüber war und der Schweiß von seiner Stirn floß, kam er weiter nach vorn, streckte seine mageren Beine aus dem Bett, hustete wieder, wartete nun aber nicht, bis es vorbei war. Er stand aufrecht, lehnte sich an die Mauer und ging Schritt für Schritt mit eingesunkenen Knieen zu dem Stern. Endlich saß er wieder auf dem Bett, die blecherne Krone auf dem Kopf und den Stern im Arm.

Und als er sich ausgeruht hatte, nahm er die Schnur, und in die Mondnacht schauend, sang er matt und abgerissen, begleitet von den zarten Klängen der geheimnisvollen Orgel:

Wir sind die drei König' mit ihrem Stern,
Wir kommen gezogen aus weiter Fern',
Wir gingen und suchten überall,
Wohl über Berg und über Tal,
Und wo der Stern blieb stille stehn,
Da täten ins Haus wir dreie gehn.

Die Tränen rannen von seinen Backen, Schauer liefen ihm über den Leib, und in seinen brechenden Augen blitzte dann und wann das Feuer seiner verzückten Seele.

Aber wer oder was war das da hinten in der Ferne? Ein strahlendes Licht, das über den mondbeschienenen Schnee näher und näher kam, immer geradeaus, ohne auf Weg und Steg zu sehen.

Suskewiet hielt erstaunt seinen Atem an, zog aber immerfort gedankenlos an der Schnur, und der Stern drehte sich knarrend rundum.

Es kam näher und näher. Und zu guter Letzt schien es ein ganz kleines Kindlein zu sein in einem weißen Hemdchen, mit bloßen Füßen; es trug ein Weltkügelchen in seiner Hand, und um sein blauäugig liebliches Gesicht und seine goldenen Locken strahlte ein regenbogenfarbenes Morgenrot.

»Wer ist das?« murmelte Suskewiet; »mich dünkt, ich hab dies Kindlein schon einmal gesehn!«

Es kam geradewegs auf ihn zu, es verschwand einen Augenblick unter dem Fenster, und dann ging die Türe auf: und da stand vor ihm das Kindlein wie eine Heckenrose, so rein und frisch. Der Stall duftete plötzlich wie ein Garten voller Rosen.

»Guten Tag, Suskewiet!« sagte das Kind lächelnd und zutraulich; »da du nicht mehr zu mir kommen kannst, so komme ich zu dir. Kennst du mich noch?«

Über Suskewiet flog ein Leuchten frohen Staunens, und ein Lächeln ließ seine zwei schwarzen Zahnstümpfe sehen. Er nickte lachend, konnte aber vor

Rührung kein Wort sprechen, und derweilen hingen die Tränen an den grauen Stoppelhaaren seiner Backen.

»Ja?« sagte das Kindlein; »dann singe dein Lied nur weiter. Ich höre es ja so gerne.«

Und Suskewiet faßte in heiliger Ehrfurcht die Schnur und sang, während seine Augen voll seligen Feuers in dem rosigen Schein blinkten:

Maria, die war gar verstört,
Als sie den großen Lärm gehört;
Sie meinte, daß Herodes kam,
Um ihr klein Kindelein zu suchen,
Sie meinte, daß Herodes kam,
Zu greifen ihr allersüßestes Lamm.

Und siehe, der schwarze Apfelbaum, der da draußen stand, war nicht weiß von Schnee, sondern weiß von zarten Apfelblüten.

Und da standen die Schafe und sahen über die Planken, und die hintersten stützten sich auf die Rücken der vordersten.

»Komm,« sagte das Kindlein, »gehst du mit in unser Haus?«

»Ach ja, ach ja!« lachte Suskewiet. Plötzlich fühlte er sich wie genesen. Er wollte seine Hose anziehn, aber es schien ihm doch nicht kalt zu sein, und zudem hatte er es zu eilig.

Er nahm den Stern und folgte dem Kind, dem buntschimmernden Kind. Doch er sah sich noch einmal nach seinen Schafen um, die so traurig blökten.

»Dürfen die nicht mitgehn?« fragte er, »ich bin Hirte.«

»Je mehr, je lieber!« sagte das Kindlein.

»Dann kommt nur, meine Kerlchen, kommt!«

Suskewiet öffnete das Gatter, und alle folgten, eng aneinander gepreßt. Und da gingen sie in der silbernen, weißen Nacht dahin. Das Kindlein hielt in seiner kleinen, molligen Hand die große Hand des Hirten und führte den alten Mann durch den ungebahnten Schnee. Er trug den Stern, der im Mondschein glänzte, und hinter ihm kamen die Schafe, mit ehrfurchtsvoll gesenkten Köpfen.

»Da hinten ist es!« sagte das Kindlein und wies in die Ferne, wo ein goldenes Schloß über einem frühlingsblühenden Garten mit seinen Kuppeln und Türmen in den Himmel ragte.

»Ach wie schön, wie schön!« sagte Suskewiet entzückt, und sich nach seinen Schafen umsehend: »Da hinten wirds wohl noch viel besseres Gras geben, was, meine Kerlchen?«

Und dann gingen sie hinein.

— — — — — — — — — — — — — — — — — — — —

Schrobberbeeck und Pitjevogel kamen von ihrer Zweikönigsfahrt zurück. Sie waren trunken von den vielen Gläsern Genever, die sie unterwegs geleert hatten; ihre Krone saß schief, und der Stern war zerdrückt. Arm in Arm taumelten sie und sangen Gassenhauer. Ihr Weg führte sie an dem Hof vorbei.

»O,« rief Pitjevogel, »wir wollen ihm mal mit

unserem Geld in die Ohren klimpern! Uns den Stern nicht zu geben!«

Doch als sie durchs Fenster guckten, da sahen sie Suskewiet in seinem Hemd tot auf dem Bette sitzen, die Blechkrone auf dem Kopf und darüber den schönen Stern, glänzend und bunt. Und voller Schreck liefen sie davon.

RECHTER FLÜGEL

A uch wenn das Mondlicht noch so klar über das tiefverschneite Land flutet, das aus sich selber Helligkeit verbreitet, — der Bettler Schrobberbeeck nimmt doch seine brennende Laterne in die Hand, um zur Mitternachtsmesse zu gehn.

Er tut es aus Angst vor Gott.

Es ist nun nicht so wie in den früheren Jahren, da er an diesem Tag mit seinen Freunden die heiligen drei Könige spielte und von Hof zu Hof den Stern drehen ging.

Das war der Tag, an dem er den meisten Spaß hatte und die meisten Groschen einsteckte.

Angst vor Weihnachten ist in ihn gefahren.

Angefangen hatte das schon vor zwei Jahren, als er, mit Pitjevogel dem Fischer und Suskewiet dem Hirten von der Dreikönigsfahrt kommend, die heilige Familie in einem Kirmeswagen gesehen hatte.

Das Jahr darauf hatte er mit Pitjevogel allein die Stern-Runde gemacht; und als sie angetrunken zurückkehrten, den Bauch voll von heißem Genever, da hatten sie Suskewiet, der seit dem Vorfall mit der heiligen Familie fromm geworden war, tot auf seinem

Bette sitzen sehn, einen Stern in seinen Händen und umleuchtet von himmlischem Licht.

Die Christnacht wollte etwas von ihm; er fühlte in ihr Gottes Hände am Werk.

Die Angst umkreiste immerfort sein Herz, und aus Angst ging er nun alle Sonntag zur Messe. Jedesmal fürchtete er, daß ihm etwas Heiliges begegnen würde, und davor hatte er noch mehr Angst als vor dem Teufel, mit dem sich Pitjevogel nun abgab.

Denn man erzählte sich, es sei, als der Fischer im letzten Sommer nackt zum Baden in die Nethe gegangen, plötzlich ein gewaltiges Unwetter ausgebrochen; Pitjevogels Kleider wehten fort, und in furchtbarem Schrecken lief er nackt über die Felder und geriet in ein Haus, worin ein abgesetzter Pfarrer wohnte, der Umgang mit dem Teufel hatte. Der Pfarrer dachte zuerst, der Teufel wäre es, da Pitjevogels Körper ganz mit schwarzen Haaren bedeckt war, und er sprach ihn an: »Sei gegrüßt, Satan!« »Ich bin nur Pitjevogel«, sagte der Fischer schüchtern. Der Pfarrer hatte sich nun verraten und lehrte Pitjevogel mit dem Mirakelbuch »Der Höllenzwang« die schwarze Kunst.

Seit jenem Tage gab der Fischer so viel silberne Taler aus, als man nur denken konnte, mußte aber alle Abend vor Sonnenuntergang zu Hause sein.

Saß Pitjevogel sonst in den schwülen Sommernächten, wenn der Aal gut anbeißt, in seinem Boote beim Angeln, so war nun, wenn die Sterne am Himmel erschienen waren, nichts mehr von ihm zu sehn, und kein Vergnügen war groß genug, um ihn aus seinem Hause herauszulocken, wenn es Abend geworden war.

Und Schrobberbeeck, der früher viel von Pitjevogel gehalten hatte, denn der Kerl konnte einen zum Lachen bringen, daß es sprudelte, ging ihm aus dem Wege.

Er mied ihn, um nicht Gottes Aufmerksamkeit auf sich zu lenken.

Er stahl zwar nicht weniger, denn das saß ihm nun einmal in den Knochen; er brachte es nicht fertig, etwas liegen zu lassen, das er mitnehmen konnte. Und er trieb sich wie sonst in der Gegend umher, bettelte auf den Höfen, verzog das Blau seiner entzündeten Augen, so daß nichts mehr zu sehen war, als gelbweiß, und plapperte dann ein leieriges Paternoster herunter.

Er war nun auch zu einer Behausung gekommen, nämlich zu einer Holzhütte, worin der Bauer vom Wasserschanzenhof früher seine Gerätschaften aufbewahrte. Sie wurde nicht mehr benutzt, aber Schrobberbeeck nahm sie in Beschlag, schlief und wohnte dort und hamsterte darin zusammen, was er nur erbetteln und fassen konnte. Er hatte sogar eine Spiegelscherbe, worin er sein graurotes Gesicht mit dem brandroten Stoppelbart sehen konnte. Es regnete durchs Dach der Hütte, die Winde rüttelten und schüttelten sie wie ein Aushängeschild, aber er hatte doch das stolze Gefühl, ein Haus zu besitzen, und legte sogar ringsherum ein Gärtchen an, wie einen Tisch so groß, um Radieschen darin zu ziehen.

Aber auch er kam abends nicht zum Vorschein, aus Furcht vor dem Heiligen, das ihn zu verfolgen schien.

Und wenn er tagsüber das Land durchbettelte, nahm er nun, immer aus demselben Grunde, nämlich sich gut mit Gott zu stellen, vor jedem Muttergottesbilde seinen schmierigen Hut ab. Und es standen viele Mütter Gottes in der Gegend, wohl an die zwanzig. Sie standen da in ihrem steinernen, hölzernen oder gipsenen Gewande; die eine in einem Kästlein, das an einem Baume hing, die andere auf einem Pfahl, wieder andere in steinernen Kapellen. Und indem er diesen Gruß Tag für Tag wiederholte, kannte er sie alle miteinander; er wußte aus dem Kopf, welche Farbe sie hatten, wie groß sie waren, wie sie hießen und wogegen sie halfen.

Er kannte sie alle, von der großen Muttergottes

der Sieben Schmerzen aus dem Beginenwäldchen bis zur fingergroßen Muttergottes Zur Ruhe, die in der Vogelhöhle einer vom Blitz gespaltenen Kappweide stand.

Und er kannte auch den ragenden Christus am Kreuz, am Großen Tümpel, aus dem die Kühe zu trinken kamen.

Voller Angst hatte er Weihnachten erwartet, denn er fürchtete, daß ihm etwas Heiliges begegnen würde. Erst hatte er die Absicht, die Nacht im Krug »Zur Wassernixe« zu verbringen. In eine Wirtschaft, wo geflucht und Genever getrunken wird, kommt Gott nicht, dachte er. Aber dann fürchtete er wieder, wenn er das täte, dann würde die Strafe in einer anderen Nacht nicht ausbleiben.

Ach, wo war seine Bettlerruhe geblieben? Lebte er früher nicht seelenvergnügt von einem Tag zum andern?

Aber Weihnachten rückte näher und näher. Er wagte nicht, mit dem Stern zu gehen, so gern er es auch getan hätte, denn es kam ihm vor, als wäre es nicht gut für ihn, mit einem Stern zu spielen, und so kam ihm der Gedanke, zur Mitternachtsmesse zu gehn. Nicht aus Liebe, Glaube oder Frömmigkeit, sondern um das Geheimnisvolle von sich abzulenken. Und um sich Mut zu machen in der weißen, mondbeschienenen Einsamkeit, zündete er die überflüssige Laterne an und ging zur fernen Kirche.

Er wäre am liebsten mit geschlossenen Augen gelaufen, um nur nichts von dieser seltsamen, feierlichen Schneenacht zu sehen, die ihn anblickte wie ein starres Katzenauge, worin es schwefelt.

Ganz in der Ferne läutete dröhnend die Glocke, und er suchte nach den anderen Menschen, die doch auch zur Messe gehen mußten; aber von ihnen war keine Spur zu sehen. Er war mutterseelenallein auf dem Weg. Sein Herz klopfte, und er fühlte sich kleiner und kleiner werden, als ob er ertränke in der mondhellen, weißen Einsamkeit. Als er an der schwarzen, beschneiten Mühle vorbeigekommen war, schien die Ferne ihm noch einmal so fern, und die Angst preßte ihm wie eine Klammer das Herz.

Er schritt aus, so schnell er konnte, wagte aber nicht zu laufen. Warum wagte er denn nicht zu laufen?

Ach, da kam er an den Baum, wo die Muttergottes Zur Zuflucht hing, ein Porzellanfigürchen mit goldenen Lilien auf dem Kleid. Das gab ihm Vertrauen; er zog seinen Hut und sah flehend hinauf. Aber die Muttergottes war nicht mehr da! Und eben, da er Laternenöl zu holen gegangen war, stand sie doch noch in ihrem Kästchen! »Heruntergefallen«, dachte er; aber der Schnee lag glatt und unberührt da, nur bemerkte er, daß just ein Mäuschen über den Schnee gelaufen war, denn man sah Spuren von zierlichen Schritten.

»Es wird gestohlen sein«, sagte Schrobberbeeck und ging hastig weiter.

Er überquerte die Landstraße, um schneller zur Kirche zu gelangen. Und er dachte, an der Brücke jenseits des Baches die Muttergottes Zur Anbetung zu grüßen, die auf einem Pfahl stand; aber die war auch nicht da! Er blieb erstaunt stehen, die Glockentöne erstarben, und wieder drückte die Stille auf das Land, die geheimnisvolle Stille. Er leuchtete mit seiner Laterne, und wieder sah er die Spuren von zierlichen Schritten im Schnee.

Die Schweißperlen blinkten ihm auf der Stirn. Aber nun fing er an zu laufen! O, nun kam das Wunder, nun wollte es ihn erwürgen! Und in all seiner Angst war er neugierig wie ein Weib, ob wohl das Muttergottesbild Für den guten Tod sich noch in der steinernen Kapelle hinter dem Gitter befände.

Nein, es war auch verschwunden! Der verschnörkelte Sockel aus nachgemachtem Marmor war leer, und zwecklos standen nun die silbernen Blumen unter Glasglocken drum herum, die wächsernen und die blau ausgeschlagenen silbernen Votivgeschenke und die verräucherten Engelköpfe.

Schrobberbeeck war in seinem Leben noch nicht so schnell gelaufen; aber wie schnell er auch lief, er nahm sich doch das Herz, einen Blick auf die Muttergottesbilder, an denen er vorbeikam, zu werfen: – sie waren alle verschwunden!

Es war etwas geschehn, ja es war etwas furchtbar Heiliges geschehen!

Wenn er das Tannenwäldchen da drüben mit seinem Saum von silbernen Birken hinter sich hätte, dann würde er die Kirche erblicken, mit ihren schön und einladend erleuchteten Fenstern.

Jeden Augenblick konnte es nun 12 Uhr schlagen.

Er lief an den geheimnisvoll schweigenden Tannenbäumen hin. Aufzublicken wagte er nicht. Noch eine halbe Minute, dann kamen die Kirche und die Häuser zum Vorschein, und dann war die Gefahr vorüber.

Aber da hörte er von links her, immer näher, ein Geräusch, und nun kam durch den Schnee keuchend eine kleine Gestalt, einen halben Meter groß, angelaufen. Sie hatte ein rotes Kleid und einen lichtblauen, wehenden Mantel an, und in der keuchenden Brust staken sieben blecherne Schwerter!

»Unsere Liebe Frau aus dem Beginenwäldchen!« stammelte Schrobberbeeck. Und er glaubte vor Schreck tot hinzufallen, als plötzlich diese Gestalt auf ihn zukam und ihm mit ganz alltäglicher, ängstlicher Stimme, die nichts Muttergottesartiges hatte, zurief: »Ach, Herr Schrobberbeeck, liebster Freund, Ihr grüßt mich ja immer, wenn Ihr an mir vorübergeht, helft mir, helft mir! Ich laufe schon eine Stunde lang, meine Füße tun mir so weh, mein Herz bricht, tragt mich doch bitte zu meinem gekreuzigten Sohn am Großen Tümpel! Sonst komme ich zu spät, um sein Weihnachtsfest zu feiern!«

Und sie streckte flehend ihre Arme aus, der Mantel fiel in schönen Falten an ihr herab, und Veilchendüfte umschwebten sie wie Falter.

Schrobberbeeck stand starr vor Schreck, er stammelte, konnte aber kein Wort herausbringen. Das Heilige war wieder da in all seiner Furchtbarkeit! Er sah sie stumm, verstört an, die Haare sträubten sich ihm unter dem Hut, und seine Augen quollen aus den entzündeten Rändern.

Aber Unsere Liebe Frau flehte verzweifelt weiter: »Ach, tragt mich doch, Herr Schrobberbeeck! Ihr könnt fix laufen, ich bin so leicht wie eine Feder. Wenn ich alleine gehen muß, so dauert es noch eine Stunde, und dann ist das Fest vorüber! O, helft mir, ich will auch alles für Euch tun! Aber ich konnte nicht weg, seht Ihr, es saß da ein Mann vor mir an meinem Kapellchen, ach Gott, und betete: jemand, der um einiger Taler willen seine Seele dem Teufel verschrieben hat, jemand, der in einem Unwetter zu einem abgefallenen Priester hineingelaufen und da an die schwarze Kunst geraten ist. Ach, der Mann flehte so in die Tiefe der Nacht hinein um meinen Beistand, daß er vom Teufel erlöst würde, der kerzengerade hinter ihm stand, wie eine Schlange auf der Spitze ihres Schwanzes! Ich mußte ihm doch erst helfen, nicht wahr, Schrobberbeeck? Ach, ich habe fürchterlich mit der Schlange kämpfen müssen, um den Mann zu retten!!«

»Ist Pitjevogel denn gerettet?« fragte Schrobberbeeck auf einmal zutraulich.

»Ja«, sagte die Muttergottes der Sieben Schmerzen; »aber jetzt tragt mich zu meinem Sohn am Großen Tümpel.«

Nun überfloß ein schönes Licht Schrobberbeecks Seele. »Ach liebste Liebe Frau,« klagte er, »ich wage nicht, Euch zu tragen, meine Seele ist so schwarz wie meine Füße!«

»Ich will sie bescheinen, bis sie glänzt! Aber nun tragt mich, nun tragt mich!«

»Wenn es das nur ist!« sagte Schrobberbeeck und nahm die Muttergottes auf, trug sie leicht wie ein Kind auf seinem Arm und rannte, soviel seine langen Beine nur hergeben wollten, durch den finsteren

Tannenwald, über das Feld, auf den Großen Tümpel zu.

Dahinten stand das Kreuz in mildem Licht!

»Nun laßt mich nur, und schönen Dank, Schrobberbeeck!« Ganz verdutzt setzte er die Muttergottes nieder, die eilig davonlief.

Es war Schrobberbeeck, als wäre er im Himmel gegangen, so süß war es ihm ums Herz gewesen, solange er dies Bild getragen hatte. Gedankenlos lief er weiter, aber was sah er nun! Er kniete in Verzückung nieder.

Das Kreuz stand leuchtend da, der Christus schien ein lebender Leib zu sein, und in einem Halbkreis standen vor dem Kreuz beieinander all Unsere Lieben Frauen der Gegend, jede in ihrer Größe, aber nun in echten, nicht in gemalten, steinernen oder hölzernen Kleidern.

Er kannte sie alle: die porzellanene Zur Zuflucht, die aus Gips Zur Anbetung, die der Fünf Wunden, die Für den guten Tod, die der Roten Rosen, die der Liebenden, die Fürs gute Brot, die Fürs Fegefeuer, die Für den Weizen, Für die Kartoffeln, Für den Regen, ja sogar die fingergroße Zur Ruhe, die ganz vorne stand, weil sie so klein war. Alle standen sie da und warteten. Sie hatten den Kopf dem Tannenwäldchen zugekehrt, doch da sahen sie die Muttergottes der Sieben Schmerzen angelaufen kommen, und plötzlich kam frohe Bewegung in die fünfundzwanzig lebendigen Standbilder. Und als die Muttergottes der Sieben

Schmerzen angelangt war und ihren Platz in der Mitte eingenommen hatte, da knieten sie alle nieder und hoben ihre Hände lobpreisend auf zu ihrer aller Sohne, der seine schönen Augen aufschlug und sie alle freundlich anblickte.

In dem Kranz von Licht sah Schrobberbeeck, wie die Wunde in der Brust des Herrn Jesus wie eine Traube barst und langsam blutete.

Und Schrobberbeeck bat, daß es ewig so bleiben möchte. Denn das war der Himmel!

— — — — — — — — — — — — — — — — — — — —

Am andern Tag standen all die Lieben Frauen wieder in ihrem steinernen und hölzernen Gewande in ihren Kästen, Bäumen und Kapellen.

Aber vor der Kapelle Unserer Lieben Frau der Sieben Schmerzen, im Beginenwäldchen, fand man Pitjevogel tot auf den Knieen liegend; seine Hände hielten noch krampfhaft die eisernen Stäbe des Gitters umklammert.

Eine gelbe Schlange, wie ihrer so viele in dem Beginenwäldchen leben, lag tot neben ihm, mit aufgerissenem Bauch, fürchterlich anzuschauen.

— — — — — — — — — — — — — — — — — — — —

Schrobberbeeck war nun ein ganz anderer Mensch geworden, innen, in seinem Herzen. Er hatte all seine Angst verloren und sehnte sich nach mehr so hohen

Augenblicken. Des Nachts saß er sogar und wartete darauf, und auch in der Kirche schaute er danach aus.

Äußerlich aber blieb er derselbe, wohnte in seiner verfallenen Hütte, bettelte, und wenn er etwas mitnehmen konnte, was nicht niet- und nagelfest war, so ließ er es nicht liegen.

Das saß ihm nun einmal in den Knochen, und das brachte auch die stärkste Erschütterung seiner Seele nicht aus ihm heraus.